SAGRERAS

LE TERZE LEZIONI DI CHITARRA

a cura di Frédéric Zigante
con la collaborazione di Stefano Spallotta

RICORDI

E.R. 3078

PREFAZIONE

Julio Sagreras nacque a Buenos Aires nel 1879 da una famiglia di origini spagnole. Entrambi i genitori, Gaspar Sagreras e Dolores Ramirez, erano chitarristi. Fin da giovanissimo Julio manifestò straordinarie doti musicali che fecero di lui un chitarrista ammirato e richiesto in tutti i salotti musicali della capitale argentina. Continuò comunque a coltivare una formazione musicale di alto livello, non esclusivamente legata alla chitarra, approfondendo la teoria e l'armonia. Rimase per quasi tutta la vita a Buenos Aires e fu uno dei protagonisti – con Domingo Prat, Antonio Sinopoli (suo allievo), Maria Luisa e Juan Anido e molti altri – della straordinaria fortuna della chitarra nel primo Novecento. Morto nel 1942, lasciò tre operette (*zarzuelas*), una quarantina di brani per pianoforte e molta musica per chitarra, anche se la sua fama è oggi affidata ai sei volumi delle *Lecciones de guitarra* – di cui il primo ebbe ben sedici ristampe tra il 1922 e il 1936 – e a un unico foglio d'album caratteristico, *El colibrí (Imitación al vuelo del picaflor)*.

L'idea di un metodo unico, in sei volumi, volto alla formazione dalle prime nozioni ai corsi superiori, è ancorata a una concezione ottocentesca dell'insegnamento e, nella didattica moderna, superata dalla tendenza a integrare vari approcci di autori diversi. L'obiettivo di Sagreras era di colmare quella che riteneva essere la principale lacuna dei più famosi metodi del primo Ottocento: la mancanza di progressività. Cita esplicitamente il *Metodo per chitarra* (1830) di Fernando Sor nonché la revisione del metodo pubblicata da Napoléon Coste, che di Sor fu allievo (*Méthode complète pour Guitare par Ferdinand Sor Revue et augmentée de nombreux examples avec une notice sur la septième corde par N. Coste*, Paris 1845), il *Nuovo metodo per chitarra* (1843) di Dionisio Aguado, non rendendosi pienamente conto che queste opere sono dei trattati più che dei metodi.

L'approccio graduale caratterizza invece i metodi di Carulli e Carcassi – cui Sagreras pare attribuire minor credito rispetto agli autori spagnoli – volti più alla cura della formazione musicale che della meccanica. Organizzati progressivamente in unità didattiche in base alla tonalità (con scale, arpeggi, accordi, seguiti da un preludio e danze varie), essi sono orientati innanzitutto allo sviluppo della concezione musicale laddove Sagreras persegue essenzialmente il perfezionamento del meccanismo.

Con un occhio a questo obiettivo Sagreras scrive le sue *Lecciones*, che vantano un'effettiva graduale progressività, introducendo lo studio, fin dalle prime lezioni, del *tocco appoggiato*, allora considerata la principale innovazione tecnica portata da Francisco Tárrega e dai suoi discepoli.
Proprio sulla questione del tocco appoggiato è necessario avvertire il lettore che Sagreras adopera sistematicamente la parola *accento* e spiega più volte che per lui accentuare significa appoggiare. Tuttavia questo induce confusione in chi già ne conosce il significato musicale e quindi distingue tra *accentare*, che è un tipo di articolazione, e *appoggiare* che è invece un gesto tecnico-meccanico delle dita della mano destra. Sagreras si rese conto della criticità dell'uso di questa terminologia e con una piccola aggiunta alla pagina "A los alumnos que van a empezar" ["Agli alunni principianti"] datata "Buenos Aires, Noviembre 1938" cercò di rimediare rilevando la contraddizione tra il termine musicale e il gesto prescritto. Da questa nota si deduce che oltre al gesto meccanico delle dita, il segno indica l'esigenza di evidenziare le note sulle quali è apposto, anche nei casi in cui l'utilizzo del tocco appoggiato è impossibile. Nelle edizioni italiane del primo volume finora pubblicate, un grossolano errore di traduzione rende difficilmente comprensibile la questione.

La presente edizione si distingue dalle precedenti, oltre che per una nuova e più moderna grafica musicale, per la semplificazione delle diteggiature che Sagreras ripeteva pedantemente anche nelle situazioni più ovvie, per la correzione di errori, la messa a punto di spiegazioni più dettagliate e l'aggiunta di alcune necessarie precisazioni storiche e pratiche.

Torino, 18 giugno 2021
Frédéric Zigante

PROLOGO

Come già dissi nella prefazione delle *Seconde lezioni di chitarra*, il presente lavoro è il frutto dell'esperienza raccolta durante 41 anni di insegnamento; e come già dissi, saranno pubblicate al più presto, dal momento che sono già finite, *Le quarte lezioni* e *Le quinte lezioni*, opere che sono la continuazione progressiva della presente, come lo stesso titolo indica.

Sto preparando anche *Le seste lezioni*, che saranno le ultime e che completeranno così un metodo veramente moderno in sei parti, dato che ho pensato di includere in quest'ultima opera alcuni dei più importanti studi di Sor, Aguado, Coste, Damas e Tárrega, perfettamente modernizzati e diteggiati minuziosamente[1].

Credo senz'altro che la difficoltà progressiva degli studi dei miei metodi risparmierà lavoro ai maestri nell'insegnamento della chitarra, poiché non sarà necessario saltare studi come bisogna fare coi metodi attuali, e inoltre la diteggiatura minuziosa di entrambe le mani è sempre un alleviare le fatiche del maestro.

Julio S. Sagreras
Aprile 1933

---

[1] Nel pubblicare *Le seste lezioni* Sagreras non terrà fede a questo proposito limitandosi a presentare nel volume i propri studi originali. (N.d.C)

LE TERZE LEZIONI DI CHITARRA

In questa lezione è raccomandabile preparare anticipatamente in ogni battuta la posizione della mano sinistra nel modo più completo possibile.

Si raccomanda la massima attenzione alla regolarità ritmica nell'eseguire le legature, evitando che la difficoltà meccanica del movimento alteri i valori indicati.

Questa lezione è utile allo sviluppo tecnico di entrambe le mani.

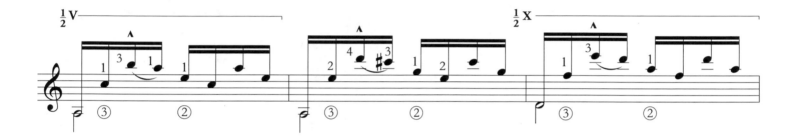

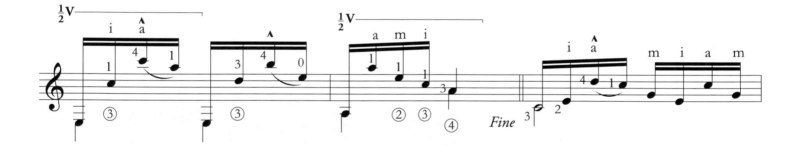

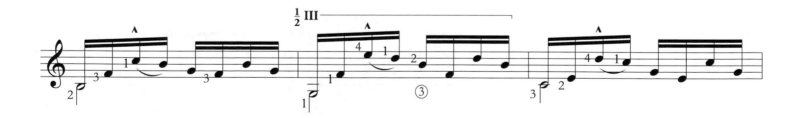

2

Benché esistano pochissime opere per chitarra con l'intonazione di 5ª in Sol e 6ª in Re, la lezione seguente si propone di essere un esercizio specifico per questa accordatura; è sufficiente ricordare che tutte le note delle due corde indicate si trovano, in questo caso, spostate di due tasti in avanti; tenendo presente questo, la lettura dell'esercizio risulterà agevole.

Si richiama l'attenzione sul rispetto delle diteggiature della mano destra.

5ª corda in Sol
6ª corda in Re

3

Si osservino con molta cura le dita della mano destra indicate e si esegua questa lezione con calma, delicatezza ed espressività.

Andante melodico

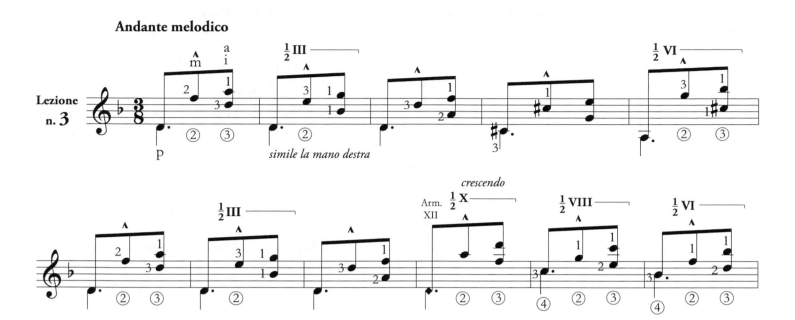

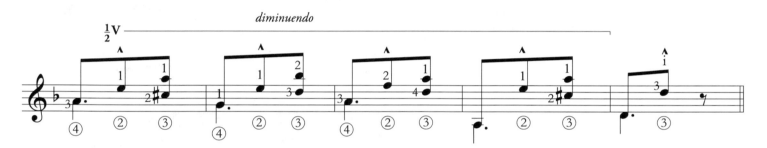

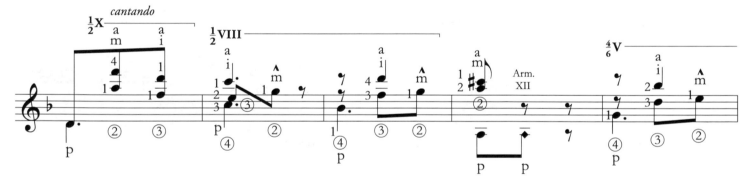

4

Ho voluto introdurre in questo metodo uno studio di ciò che nella chitarra si chiama comunemente *tremolo*.

Come si vedrà, la diteggiatura segnata nella ripetizione delle note è: *i, m, i*, però è bene esercitarsi anche con: *i, a, i*; con *i, m, a*, e con *a, m, i*. Se si ha necessità di una maggiore sonorità conviene la prima diteggiatura indicata, mentre nel caso in cui il movimento debba essere più rapido e non troppo sonoro, conviene l'ultima.

In tutti i casi bisogna sempre osservare la perfetta regolarità nel movimento.

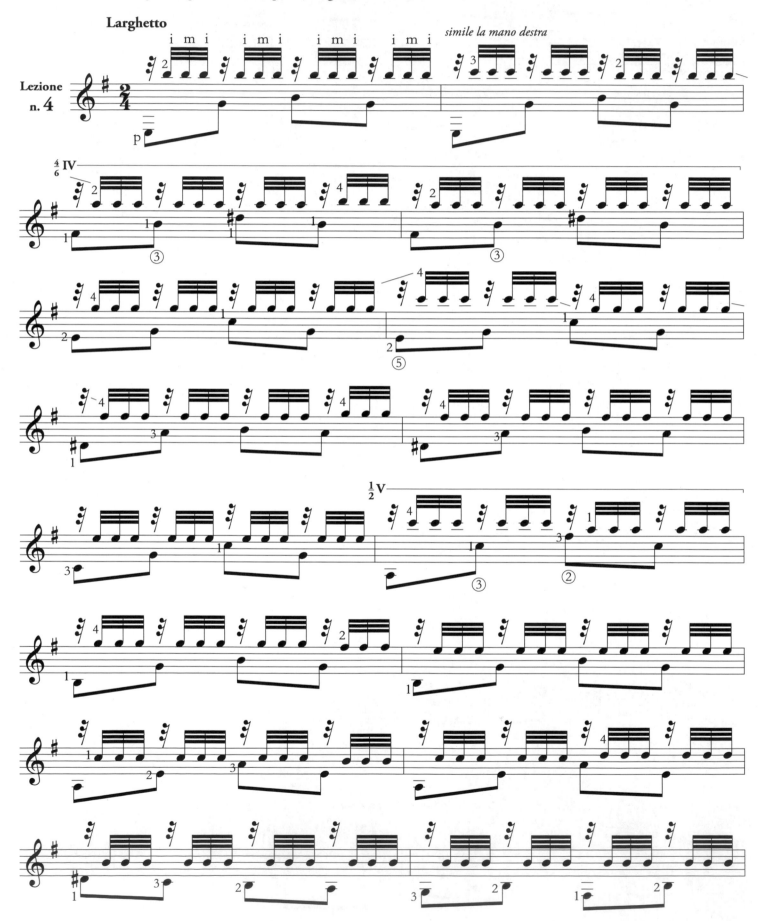

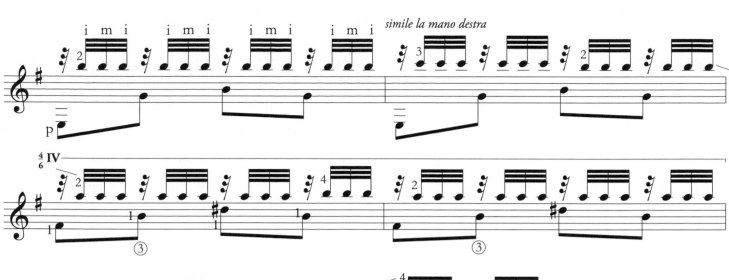

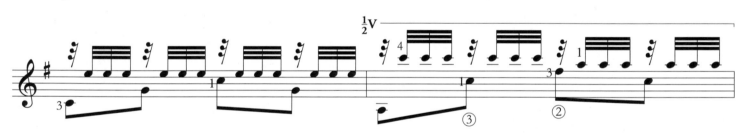

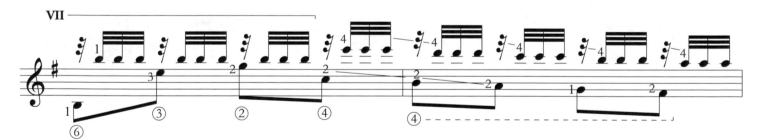

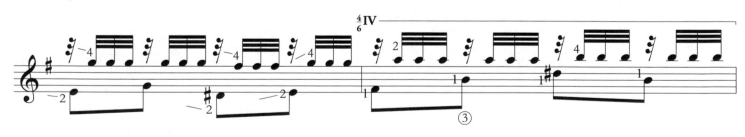

6

In questa lezione si osservi strettamente la diteggiatura della mano destra segnata e si facciano scorrere le dita della mano sinistra quando sono indicati i portamenti.

Attenzione alle note che hanno il segno ∧ : devono essere accentate con forza ma non in modo brusco, lasciando scivolare il polpastrello del dito e colpendo con l'unghia alla fine di questo scivolamento, in modo che il dito che ha premuto la corda rimanga appoggiato per un istante sulla corda immediatamente inferiore, rilassandosi e tornando nella posizione di partenza subito dopo.

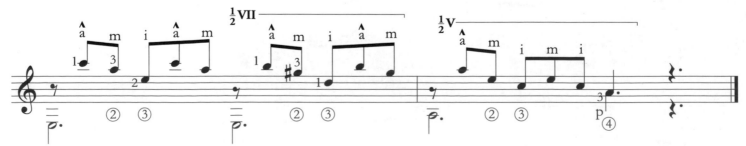

Questa lezione si basa sull'andamento di *Ranchera* (chiamato anche *Mazurka*) e presenta legature di tre note.

La nota iniziale deve essere ben ferma: è fondamentale per continuare la legatura nella sua parte discendente.

Nella seconda parte della lezione, basata su bicordi di terze e seste, si scorrano le dita della mano sinistra dove indicato.

È importante infine che si osservino strettamente le accentazioni segnate.

8

Questa lezione è molto utile, specialmente per la mano destra.

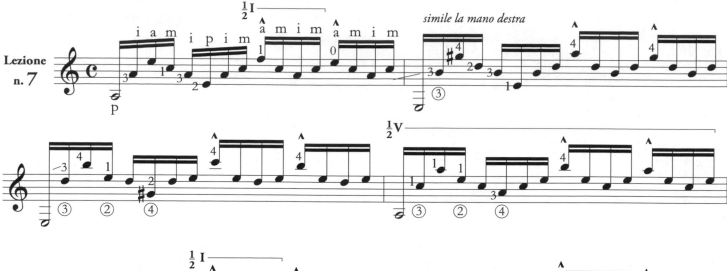

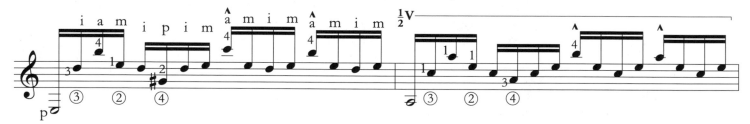

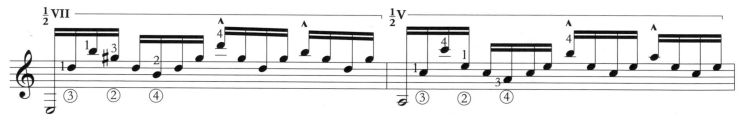

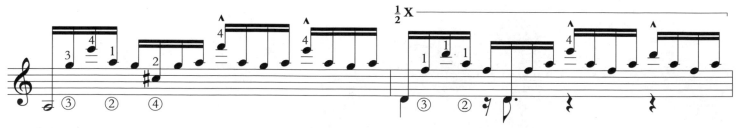

Si dia più forza alle note iniziali delle legature e meno a quelle dell'accompagnamento.

Tempo di Vals lento

Lezione
n. 8

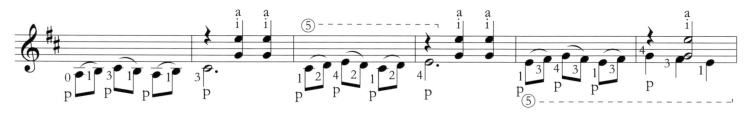

Fine

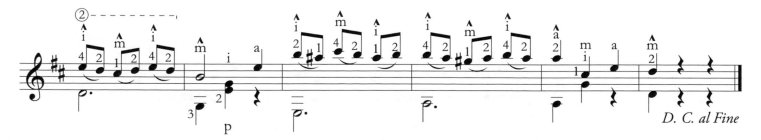

D. C. al Fine

10

Questa lezione è molto utile specialmente per la mano destra. Pollice, indice e anulare devono toccare le corde in modo perfettamente simultaneo, cioè senza arpeggiare: in questo studio non esistono note accentate.

Si facciano scorrere le dita della mano sinistra qualora non sia assolutamente necessario alzarle.

Già nella lezione n. 44 delle *Seconde lezioni di chitarra* ho dato le spiegazioni necessarie per eseguire i suoni armonici nei bassi (*armonici ottavati*). Questa tecnica della mano destra è stata introdotta da Francisco Tárrega e ha migliorato e semplificato l'esecuzione dei suoni armonici, rispetto alle tecniche precedenti che risultavano scomode e costringevano alla variazione della posizione della mano destra a ogni suono.

In questa lezione bisogna, per quanto possibile, preparare le posizioni della mano sinistra in modo da potersi concentrare sul posizionamento della mano destra.

Una volta prodotto l'armonico è essenziale avere cura di non interferire con la corda e di non muovere le dita della mano sinistra che lo hanno preparato, per evitare lo spegnimento anticipato del suono armonico prodotto.

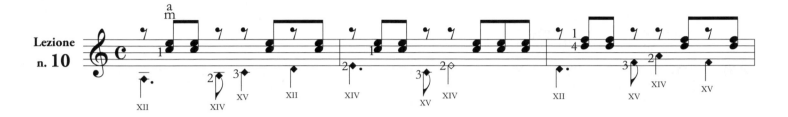

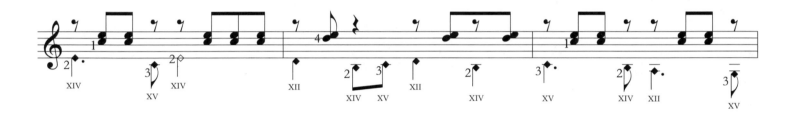

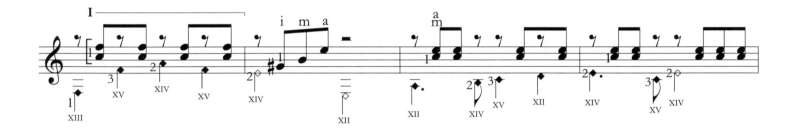

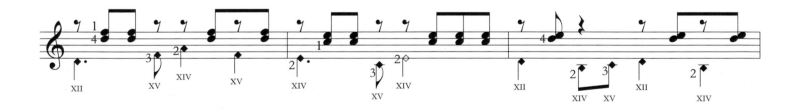

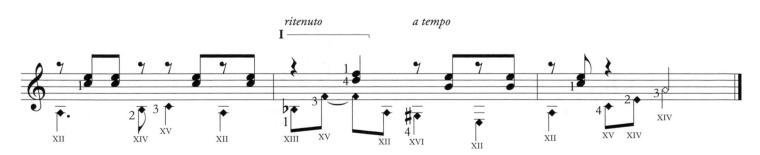

12

In questa lezione si presenta la necessità di acquisire la tecnica per eseguire gli armonici nelle note acute.

Dopo aver preparato le note o posizioni con la mano sinistra, si posiziona il polpastrello del dito indice della mano destra sul tasto e sulla corda corrispondenti all'ottava superiore della nota reale, dove si produrrà l'armonico. Contemporaneamente si suona la corda con l'anulare della mano destra: se questo armonico va accompagnato da un basso, si suonano simultaneamente con anulare e pollice della destra le corde indicate, come nel primo accordo di questo studio.

Torno a raccomandare una volta ancora che non si tocchino le corde che hanno prodotto gli armonici, né si muovano le dita della mano sinistra che li hanno preparati, per non spegnere il suono armonico.

Si faccia particolare attenzione nell'eseguire i suoni reali dell'accompagnamento con volume ridotto, in modo da mettere in evidenza la linea melodica composta dai soli suoni armonici.

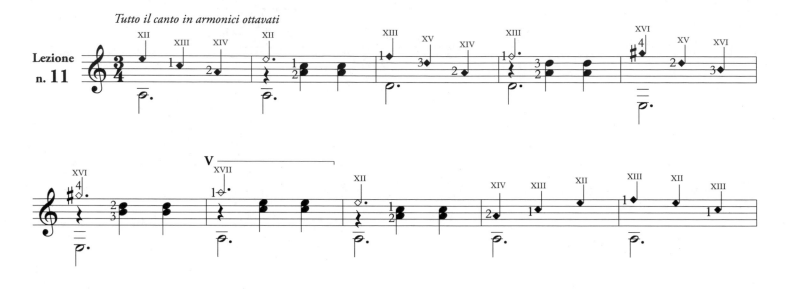

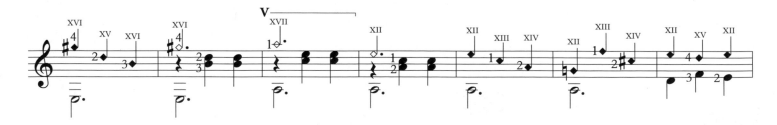

Questa lezione introduce la pratica dell'esecuzione di più corde col dito pollice; nel suonare il Mi della 6ª con il Mi della 5ª, all'inizio del brano, il pollice della mano destra va posizionato sulla 6ª corda con la parte estrema sinistra. Con un movimento molto rapido e prendendo poca corda, per facilitare lo scivolamento, il pollice trascina le due corde, appoggiandosi alla fine del movimento sulla 4ª corda. Nei casi in cui il movimento avvenga sulla 5ª e 4ª corda, il pollice andrà ad appoggiare di conseguenza sulla 3ª corda.

Anche nei casi in cui le corde su cui scorre il pollice siano tre, com'è naturale, il dito andrà ad appoggiare sulla corda immediatamente seguente.

Bisogna ricordare, nell'eseguire questo studio, che la melodia prodotta dai bassi deve distaccarsi nettamente; questi saranno dunque suonati con maggiore forza, garantendone pulizia e continuità, mentre l'accompagnamento sarà eseguito con volume minore.

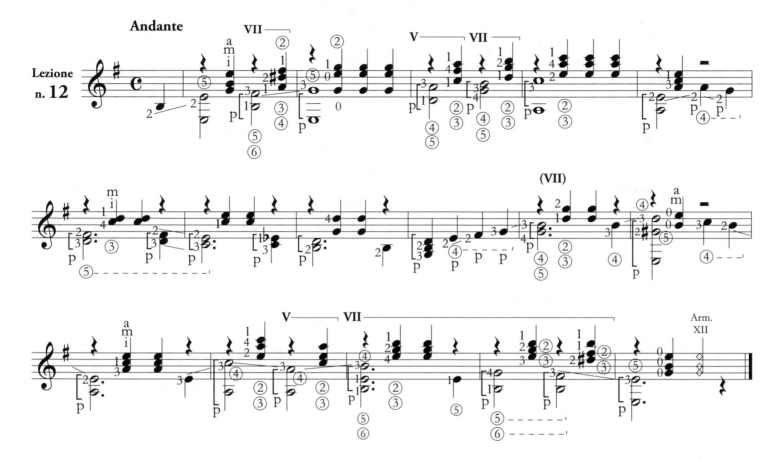

Questo è una lezione basata sugli intervalli di *decima*; nel brano si presenta il caso di una *acciaccatura* (o *appoggiatura breve*). L'accordo sul quale insiste l'appoggiatura va preparato con la nota Fa che realizza una rapida legatura discendente, producendo la nota Mi dell'accordo preventivamente premuta dal barré.

14

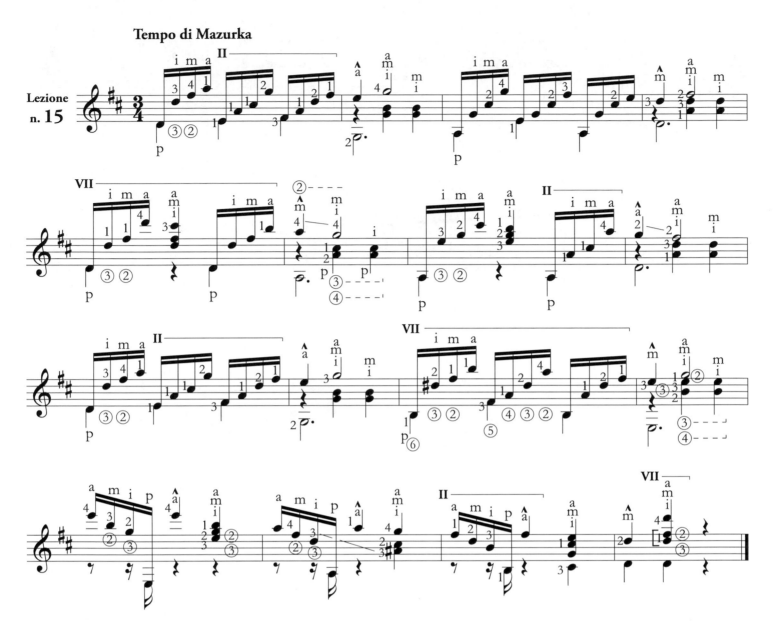

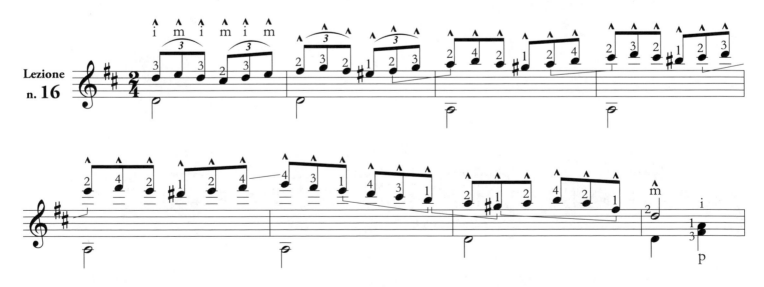

15

Tempo di Mazurka

Lezione n. 15

Ricordo ancora una volta il grande vantaggio che rappresenta per l'esecutore lo scorrimento delle dita della mano sinistra ogni volta che sia possibile. In alcuni casi lo scorrimento non riguarda note vicine; non sono dunque veri e propri portamenti, ma cambi di posizione in cui le dita che scorrono garantiscono stabilità e rapidità.

Nella lezione questi cambi di posizione sono rappresentati da segni di scorrimento specifici. Si osservino dunque con attenzione la diteggiatura e i portamenti.

Lezione n. 16

E.R. 3078

16

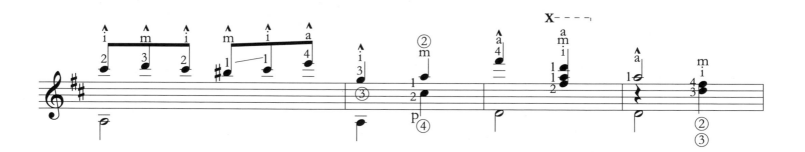

Andantino grazioso

Lezione
n. 17

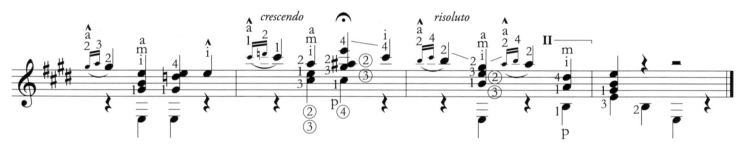

Tempo di Vals lento

Lezione
n. 18

18

In tutte le legature discendenti si consiglia di preparare ogni nota per facilitarne la rapidità di esecuzione.

Anche in questa lezione raccomando grande attenzione alla differenza di volume tra la linea del canto, da eseguirsi con note accentate, e l'accompagnamento.

Nella grafia delle *Lezioni di chitarra* il canto è facilmente riconoscibile. Quando affidato alla voce superiore, infatti, presenta sempre i gambi verso l'alto.

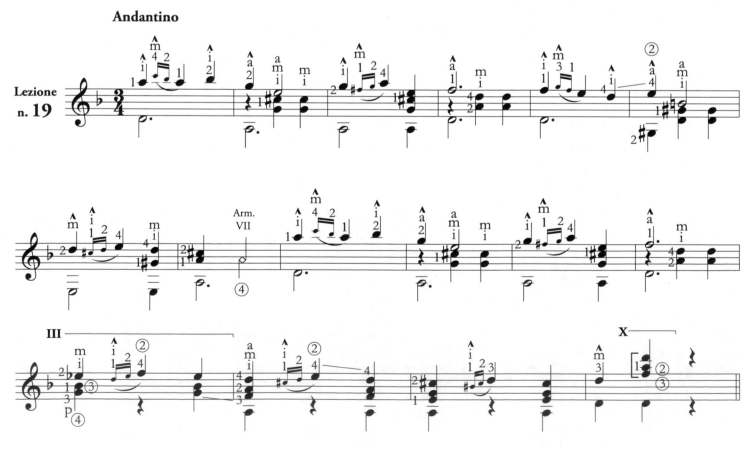

In questa lezione la difficoltà risiede nelle legature ascendenti da realizzarsi con posizioni fisse che limitano la mobilità del dito della mano sinistra che produce il suono superiore. Si consiglia uno studio con velocità crescente in modo graduale.

Tempo di Vals comodo

Questa lezione può essere eseguita a due chitarre, insieme alla lezione n. 31 dalle *Quinte lezioni di chitarra*. I due brani sono riportati in partitura in Appendice al presente volume.

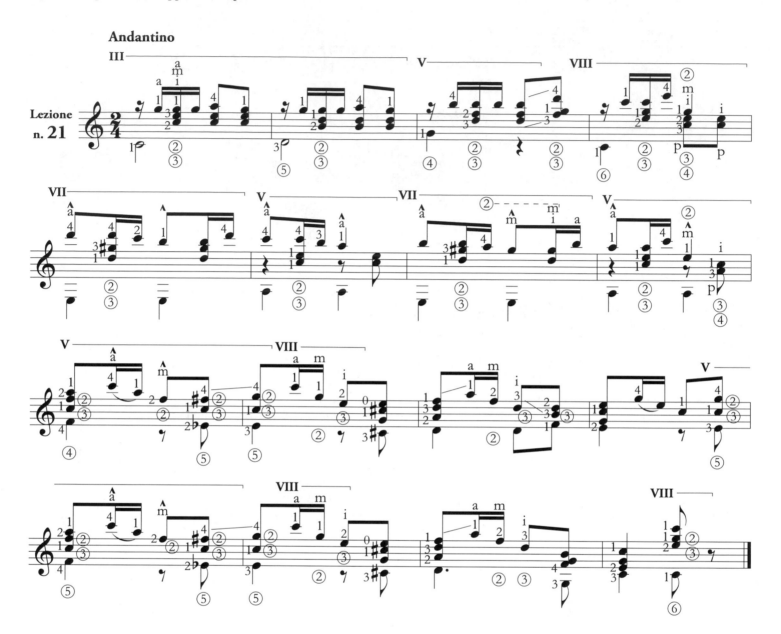

In questa lezione la regolarità del movimento deve essere osservata il più rigorosamente possibile, nel rispetto della diteggiatura riportata per la mano destra.

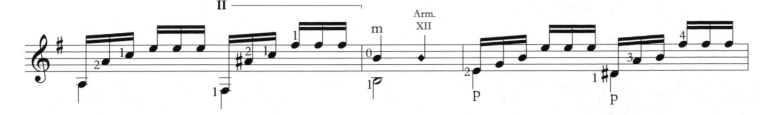

Si raccomanda molta attenzione alle diteggiature e agli accenti indicati.

Tempo di Ranchera

Lezione
n. 23

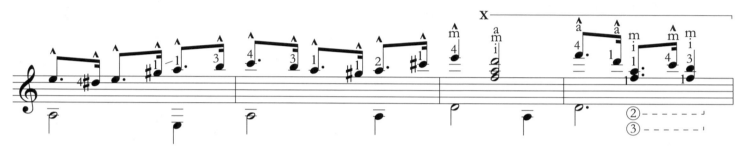

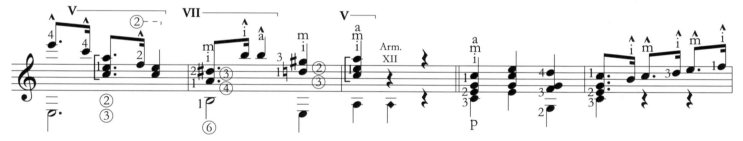

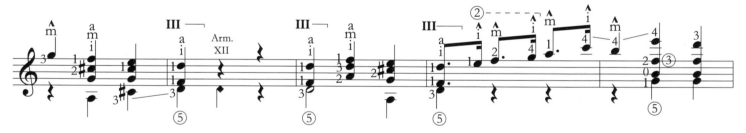

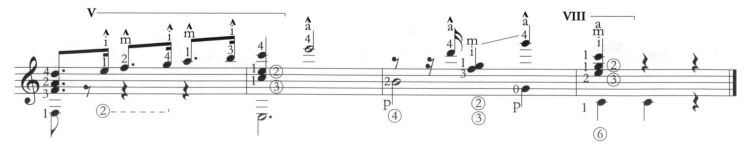

Questo è uno studio su acciaccature, portamenti e legati, a nota semplice e doppia. Come si vedrà, ho segnato le accentazioni solo quando si tratta di applicare l'acciaccatura a una nota singola; nei casi in cui la melodia si sviluppi per terze o seste infatti accentare non è possibile, specialmente se si agisce su corde vicine.

Lezione n. 24

* La *quintina* è un gruppo irregolare; in questo caso cinque semicrome occupano la durata di quattro; nell'esecuzione tecnica la legatura riportata unisce sei note; per eseguirla l'allievo dovrà preparare prima con la mano sinistra il Re e il Do✗ con particolare attenzione alla stabilità del primo dito sulla corda (N.d.C.).

Questa lezione presenta una difficoltà di lettura dovuta alla tonalità di Do minore con tre bemolli in chiave.

La presenza di numerosi barré la rende impegnativa per la mano sinistra. Si studi con velocità progressiva, partendo molto lenti.

Tempo di Vals

Questa lezione presenta difficoltà tecniche ottime per il potenziamento di entrambe le mani.

Preparare la posizione della mano sinistra è importante per eseguire correttamente tutte le note.

Questo arpeggio è un ottimo esercizio per la mano destra; si mantenga il più possibile la regolarità del movimento.

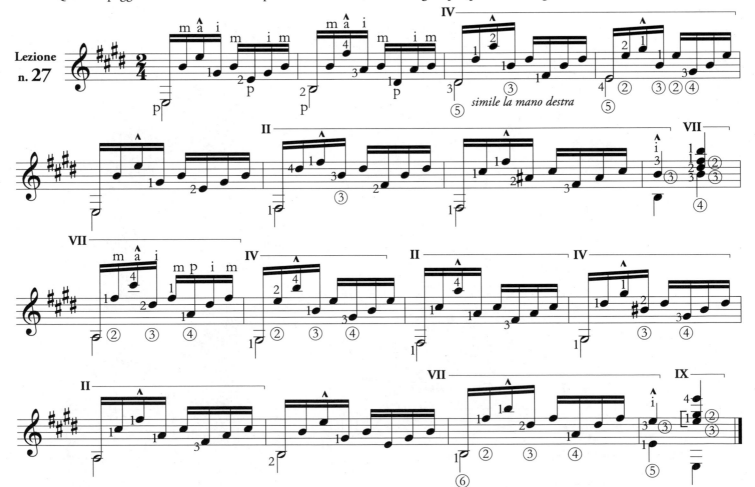

* Dove indicato dal segno ⌈ il primo dito della mano sinistra preme due note (Mi e La) in combinazione con il secondo dito sul Do♯; in questo modo si evitano movimenti non necessari per raggiungere agevolmente le note sul quarto tasto con il quarto dito (N.d.C.).

26

Questa lezione presenta dei *gruppetti* da eseguirsi con le legature; per la loro esecuzione raccomando nuovamente che le dita della mano sinistra preparino prima le note per quanto possibile.

Si faccia attenzione inoltre a smorzare i suoni degli accordi dell'accompagnamento, per rendere effettive le pause di croma presenti nel testo musicale.

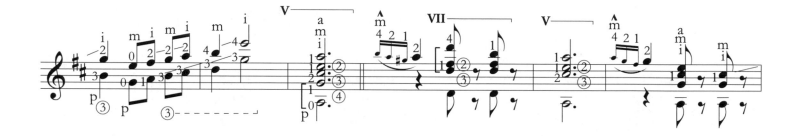

* Questo portamento ha anche funzione di legatura; la nota di arrivo dunque non si esegue con la mano destra, ma è frutto della pressione del quarto dito della mano sinistra che ha effettuato il portamento (N.d.C.).

Questa lezione è dedicata all'esecuzione del *trillo*. Per realizzarlo, si prepara la nota principale con il secondo dito, (per esempio il La della prima misura del brano), e con il quarto si percuote ripetutamente la nota superiore, facendo attenzione a pizzicare leggermente la corda nel rilascio del dito per rinforzare la nota reale di arrivo. Il numero di ripetizioni del gesto tecnico dipende dalla durata della nota principale e dalla velocità di esecuzione del brano.

È consigliabile studiare lentamente, garantendo però una esecuzione del trillo leggera e scorrevole.

In questa lezione porre molta attenzione alla diteggiatura e alle accentuazioni.

In questa lezione è presente una scala suonata con il pollice della mano destra.
Viene indicata tuttavia una diteggiatura alternativa con indice e medio, lasciandone la scelta all'esecutore.

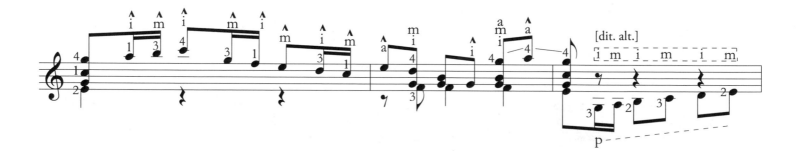

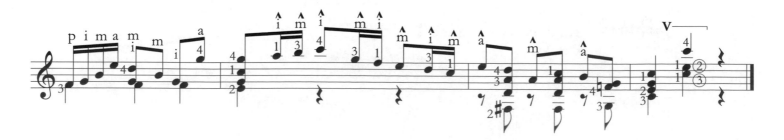

Si accentino bene le note iniziali dei legati e si rispetti la diteggiatura. La velocità finale di questo studio sarà quella massima che l'allievo può ottenere.

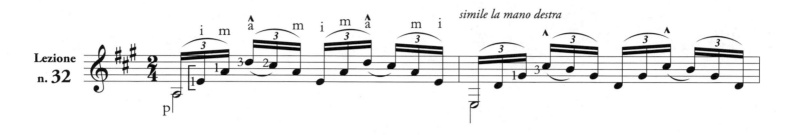

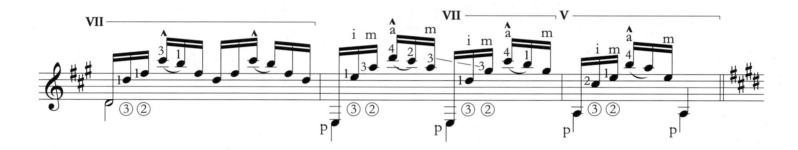

Tempo di Seguidilla española

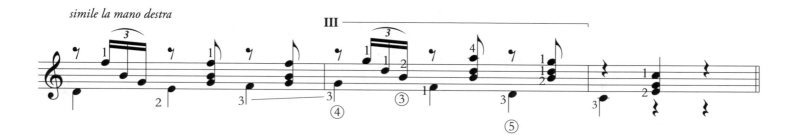

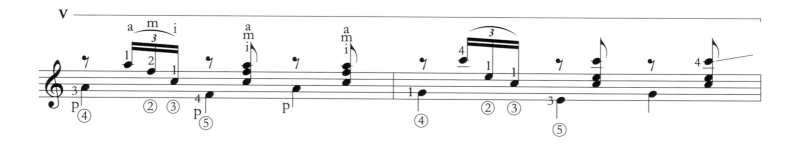

Si osservino le accentazioni segnate e la diteggiatura di entrambe le mani. Si preparino anticipatamente, nei limiti del possibile, le posizioni della mano sinistra, per ridurre al minimo i movimenti.

32

In questa lezione si presenta il canto in una forma inconsueta e apparentemente irregolare, che produce un effetto, a mio parere, interessante. Si osservino strettamente la diteggiatura di entrambe le mani e le accentazioni segnate. Far scorrere le dita della mano sinistra in tutte le occasioni possibili.

Si tenga presente, in questo lezione basata su intervalli di terza, quarta e sesta, l'indicazione riguardo l'importanza dello scorrimento delle dita sulla tastiera.

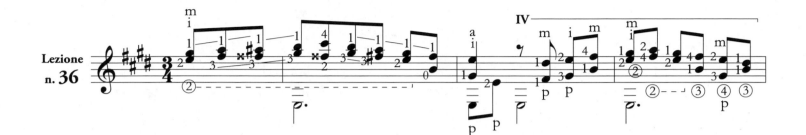

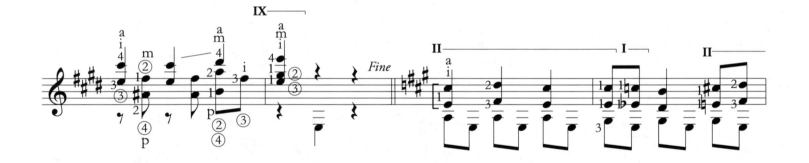

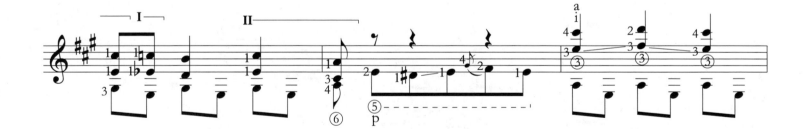

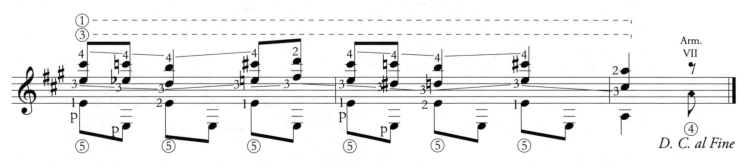

Si introducono in questa lezione le *legature ritardate*. Vengono così definite quelle legature che si realizzano tra due note non successive, fra le quali vengono suonate altre note (ad esempio di un arpeggio, come in questo brano).

Nel caso delle legature discendenti, per ottenere una buona esecuzione, le due note della legatura vanno preparate anticipatamente. Nelle legature ascendenti, il dito della mano sinistra che deve fare la seconda nota deve percuotere con sufficiente forza perché suoni distintamente la nota e deve farlo il più vicino possibile alla barretta del tasto.

36

Appendice alle
Terze lezioni di chitarra

Duetto: lezione n. 21 + lezione n. 31 (dalle *Quinte lezioni di chitarra*)

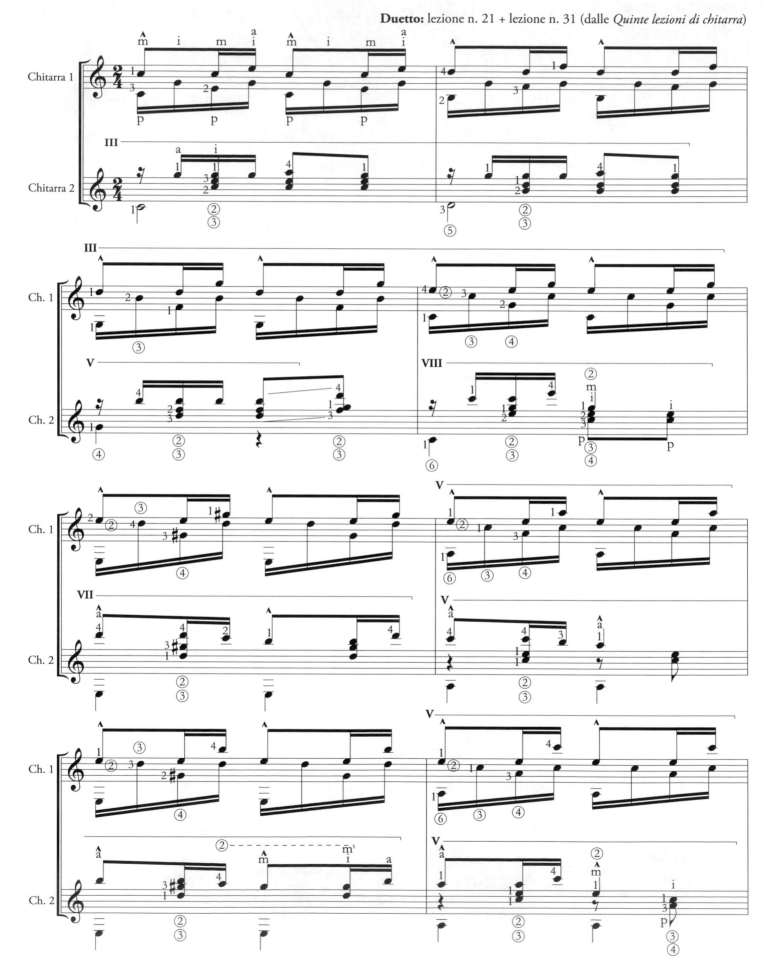

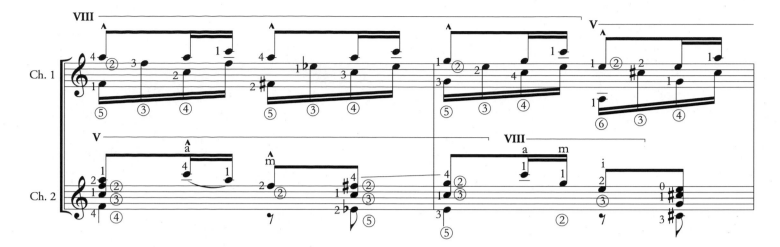

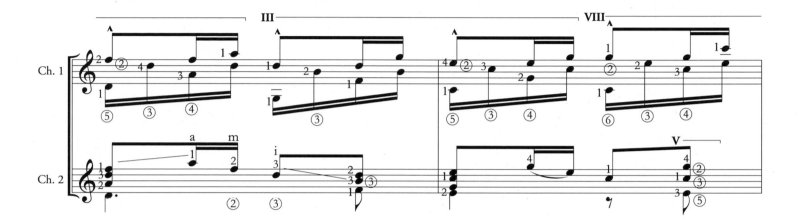

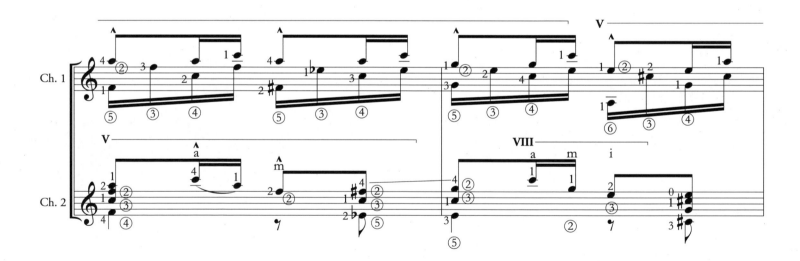

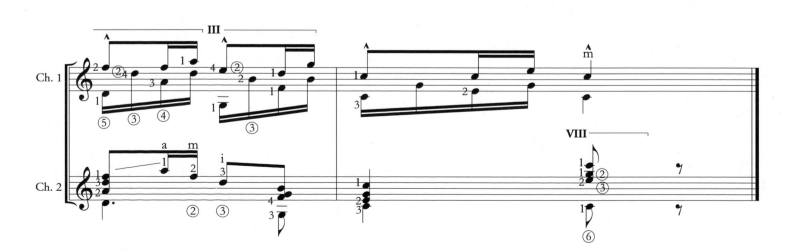